LONDON • SYDNEY

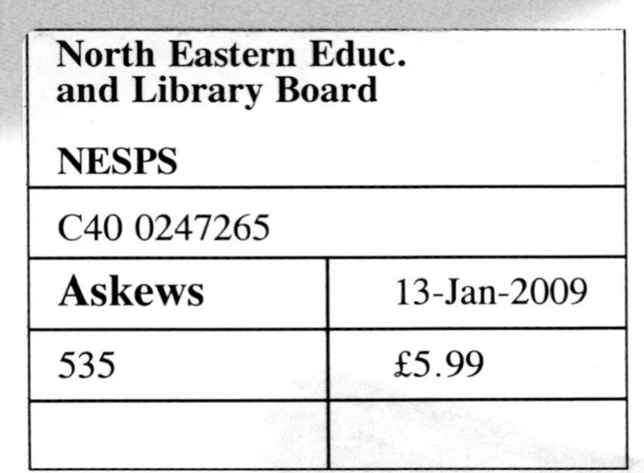

First published in 2004
by Franklin Watts
338 Euston Road
London NW1 3BH

Franklin Watts Australia
Level 17/207 Kent Street
Sydney NSW 2000

Series advisor: Gill Matthews, non-fiction literacy consultant and Inset trainer
Editor: Rachel Cooke
Designer: James Marks
Photography: Ray Moller unless otherwise credited
Acknowledgements: Automobile Association: 21t, 23cr. Vicki Coombs/Ecoscene: 7. Jeri Gleiters/Still Pictures: 12. Tim Hawkins/Eye Ubiquitous: 5. Michael Heller/911 Pictures: 20. Frank Leather/Eye Ubiquitous: 11b. Helen A. Lisher/Eye Ubiquitous: 16. Stephen Rafferty/Eye Ubiquitous: 6. John A Read/Eye Ubiquitous: 11t. Norbert Schafer/Corbis: 4, 22l. Craig Tuttle/Corbis: 21b. Thanks to our models: Chloe Chetty, Georgia Farrell, Arden Farrow, Alex Green, Madison Hanley, Aaron Hibbert, Chetan Johal, James Moller, Henry Moller, Kane Yoon.

A CIP catalogue record for this book is available from the British Library

ISBN: 978 0 7496 8115 9

Printed in Malaysia

Franklin Watts is a division of Hachette Children's Books, an Hachette Livre UK company.

Contents

Daylight

In the morning, the Sun rises.
It gives us light during the day.

► *In daylight, we can see the world around us.*

Never look at the Sun, even through sunglasses. It could harm your eyes.

Cloudy days are duller than sunny days because clouds block some of the light.

Night-time

In the evening, the Sun sets and the sky gets dark. We need other lights to help us see.

► *Car drivers put on their lights.*

▲ *Streetlights come on.*

At night, rooms are dark without the lights on. How can you make your bedroom dark during the day?

People put on lights in their houses.

Electric light

We use electricity to light our homes.

▲ *Electric light helps us to see – in the living room...*

in the bedroom...

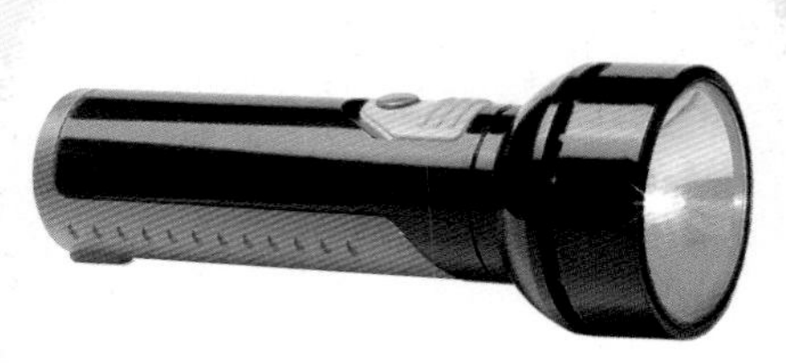

Torches give out light. They get electricity from batteries so we can carry torches around.

and in the fridge!

Firelight

Fire gives out light, too.
A small fire gives
just a little light.
A big one gives
much more!

▼ *Candles*

Firelight is pretty but it is dangerous. Never play with fire.

A bonfire

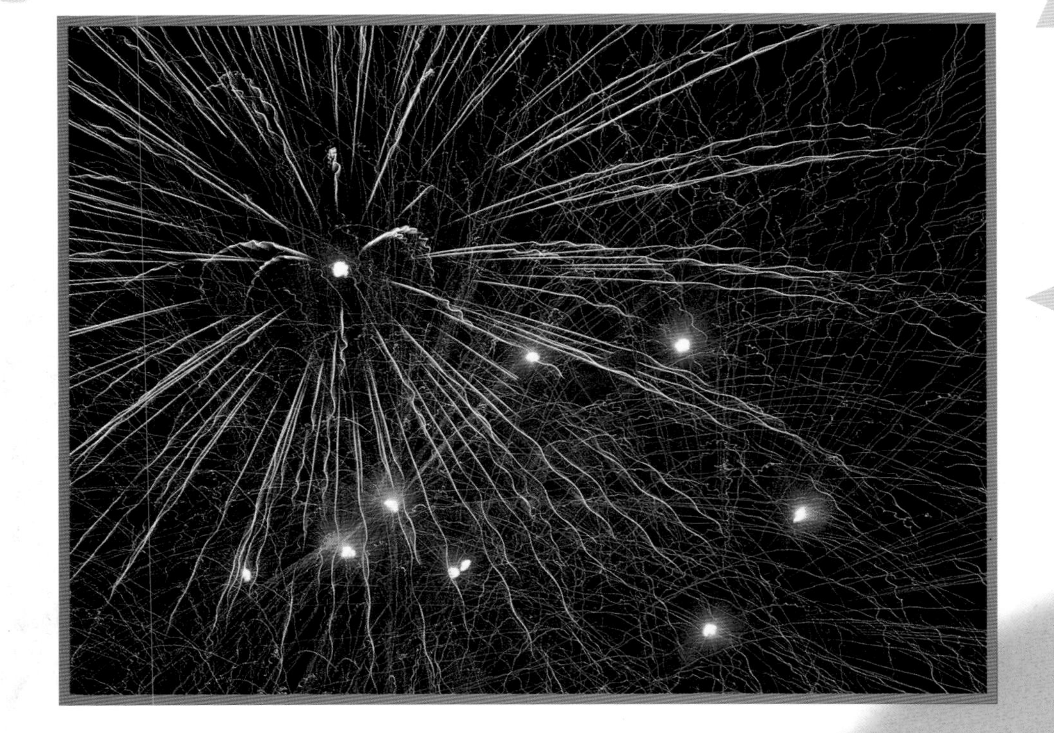

Fireworks!

Shadow play

Some things block out light.
This can make shadows.

▲ *Trees block the Sun's light.*
They make shadows on the ground.

Our hand blocks the torch's light. It makes a shadow.

Stick some white paper on a wall and shine a bright light on it. Sit sideways between the light and paper so your head makes a shadow on the paper. Ask a friend to draw round your shadow.

Seeing

We see with our eyes.
Our eyes need light to see.

▶ *We see when light enters our eyes.*

How can you find your way around when your eyes are closed?

► *If we cover our eyes, light cannot enter them and we cannot see.*

Bright and shiny

Shiny things reflect the light.
Light makes them stand out brightly.

Glass balls shine in the dark.

▲ *A ring is bright and shiny.*

What other things can you think of that are bright and shiny?

► *Sweet wrappers are bright and shiny too!*

Be safe, be seen!

Wearing things that reflect light helps to keep us safe at night. People can see us more clearly.

► *This bag reflects the lights of a car.*

◀ *This coat reflects light.*

How can you make sure you are easy to spot at night?

◀ *This cyclist wears a shiny strap.*

Danger!

Bright lights are easy to see.
They help to warn people of danger.

Danger!

... a police car is coming!

Many warning lights flash on and off. Can you think why?

... a car has broken down!

... there are rocks nearby!

I know that...

1 The Sun gives us light during the day.

2 We must never look directly at the Sun.

3 It is dark at night because there is no sunlight.

4 We use electric lights in our homes.

5 Fire gives out light, too.

6 Shadows form when something blocks out light.

7 We see when light enters our eyes.

8 Shiny things reflect light.

9 Lights can warn us of danger.

Index

About this book

I Know That! is designed to introduce children to the process of gathering information and using reference books, one of the key skills needed to begin more formal learning at school. For this reason, each book's structure reflects the information books children will use later in their learning career – with key information in the main text and additional facts and ideas in the captions. The panels give an opportunity for further activities, ideas or discussions. The contents page and index are helpful reference guides.

The language is carefully chosen to be accessible to children just beginning to read. Illustrations support the text but also give information in their own right; active consideration and discussion of images is another key referencing skill. The main aim of the series is to build confidence – showing children how much they already know and giving them the ability to gather new information for themselves. With this in mind, the *I know that...* section at the end of the book is a simple way for children to revisit what they already know as well as what they have learnt from reading the book.

DEORA DRAÍOCHTA

Colmán Ó Raghallaigh

Olivia Golden

Do Gerry, le cion mór i gcónaí.

Go mall réidh a tháinig an tseanveain isteach sa bhaile mór agus anuas an phríomhshráid léi. Ó am go a chéile stop sí agus amach le fear óg tanaí chun póstaer a chur isteach i siopa beag nó a chrochadh ar na cuaillí teileafóin ar dhá thaobh na sráide. Aghaidh ghealgháireach fir grinn ar gach póstaer díobh.

Bhí an sorcas ag teacht!

Faoi mheán lae an lá ina dhiaidh sin bhí puball mór ildaite le feiceáil ar an bhfaiche mhór ar imeall an bhaile. Bhí an iliomad daoine ag teacht agus ag imeacht ar fud na háite agus iad ag réiteach le haghaidh an tseó a bheadh le tosú ar a ceathair a chlog tráthnóna.

Ar a cúig chun a ceathair bhí an Máistir ag féachaint tríd an gcuirtín cúil. Ní raibh ach scór duine i láthair. 'Cá bhfuil gach duine?' ar seisean agus é ag labhairt os ard gan fhios dó féin. Agus bhí brón agus díomá ina ghlór.

Bhí Igor, an fear láidir, taobh leis. 'Caithfidh an seó dul ar aghaidh, is dócha,' ar seisean go ciúin. 'Is dócha é,' arsa an Máistir agus shéid sé an fheadóg. Thosaigh an ceol de phlab agus é chomh meidhreach sin agus go gceapfá go raibh an puball lán go díon.

Nuair a bhí an seó thart agus an slua beag bailithe leo arís, ghlaoigh an Máistir an compántas le chéile ar chúl an phubaill. 'Anois, a chairde,' ar seisean, 'faoi mar a fheiceann sibh le tamall tá an chuma ar an scéal nach bhfuil daoine ag iarraidh teacht go dtí an sorcas níos mó. Níl a fhios agam cén fáth ach ní féidir linn dul ar aghaidh gan lucht féachana. Tá faitíos orm, mar sin, go mbeidh orainn an sorcas a dhúnadh ag deireadh an tséasúir seo.' Ní raibh focal as aon duine.

Ar chúl an tslua sheas an Fear Grinn tamall ag éisteacht. D'iompaigh sé ansin agus shiúil i dtreo gheata na páirce. Ní raibh a fhios aige cá raibh sé ag dul agus ba chuma leis. Ní raibh ach rud amháin ar a intinn. Bhí deireadh á chur leis an sorcas... deireadh leis an ngáire... deireadh leis an draíocht.

Lean sé air ag siúl gur tháinig sé go binse beag ar bhruach na habhann. Shuigh sé síos air nóiméad chun a scíth a ligean. Ansin thóg sé seanorgán béil as a phóca agus thosaigh sé á chasadh. Fonn uaigneach gruama a chas sé...

Stop sé den cheol. Thosaigh deoir aonair uaigneach amháin ag sileadh anuas a ghrua. Chrom sé a cheann idir a dhá lámh agus chaoin sé.

'Cé thú féin?'
Bhain an glór siar as agus nuair a d'ardaigh sé a cheann bhí cailín óg ag stánadh air. 'Cé thú féin?' ar sise arís.

'Mise Cócó... ,' ar seisean, 'is Fear Grinn mé.'
'Cén fáth a bhfuil tú ag caoineadh mar sin?'
'Scéal fada é sin,' ar seisean agus é ag glanadh deoire dá leiceann lena mhuinchille.
'Inis dom é, a Chócó,' ar sise agus shuigh sí síos in aice leis.

D'fhéach sé go géar uirthi ar feadh soicind nó dhó. Ansin thóg sé ciarsúr mór ildaite as a phóca agus shéid sé a shrón chomh láidir sin gur bhain sé geit as an gcailín beag.

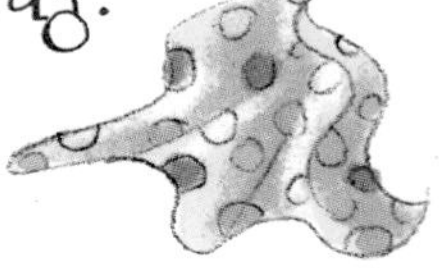

'Gabh mo leithscéal, a chailín bhig,' ar seisean agus meangadh gáire ag teacht ar a bhéal, 'ach bhí sé sin ag teastáil go géar uaim. Anois, bhí tú a rá?'

'Bhí mé ag fiafraí díot cén fáth a raibh tú ag caoineadh,' ar sise.
'Ó sea,' ar seisean, 'bhuel, inseoidh mé duit mar sin.'
Dhírigh sé é féin ar an mbinse agus thosaigh ar a scéal.

Agus a leithéid de scéal! Scéal faoi bhuachaill óg nach raibh ach dhá bhliain déag d'aois nuair a fuair a athair bás oíche amháin tar éis dó seó eile a chríochnú mar Chócó, an Fear Grinn. Buachaill a bhí chomh hoilte sin ag a athair gur ghlac sé chuige an t-ainm céanna agus gur lean sé ina dhiaidh mar Fhear Grinn.

Fear Grinn a bhí chomh maith sin gurbh é an réalta ba mhó i Sorcas na Réaltaí é, go fiú gurbh é a éadan féin a bhí ar phóstaeir an tsorcais!

Bhí iontas ar an gcailín óg agus í ag éisteacht leis an bhFear Grinn. Bhí an scéal seo ar nós rud a d'fheicfeá i leabhar, agus bhí tuilleadh fós le hinsint.

'Caoga bliain ó shin, nuair a thosaigh mé ar dtús mar Fhear Grinn, bhíodh an puball lán de lá is d'oíche. Ar ndóigh, bhí draíocht sa sorcas an t-am sin ach ní chreideann daoine ina leithéid níos mó... Agus is cosúil go bhfuil an oiread sin ríomhairí agus giuirléidí eile ag páistí an lae inniu gur cuma leo faoi sheanfhear craiceáilte le srón dhearg agus bríste atá ró-mhór dó...'

Stop an Fear Grinn den chaint. D'fhéach sé ar an gcailín beag. Cailín álainn óg a raibh a súile móra gorma ag breathnú suas air agus í ag iarraidh é a thuiscint. 'Dála an scéil,' ar seisean, 'cé thú féin? Níor inis tú dom céard is ainm duit.' 'Mise Deirdre,' ar sise agus í ag síneadh láimhe chuige, 'agus ní cheapaimse go bhfuil tú craiceáilte.'

'Tá an-áthas orm bualadh leat, a Dheirdre,' arsa an Fear Grinn agus chroith sé lámh léi go dea-bhéasach cineálta. 'Ach féach. Céard é seo a bhí i do lámh agat?'

D'oscail sé a dhorn agus céard a bhí ann ach liathróid bheag ildaite!

D'fhéach Deirdre air agus í ag gáire. 'Ach cén chaoi – ?' ar sise.

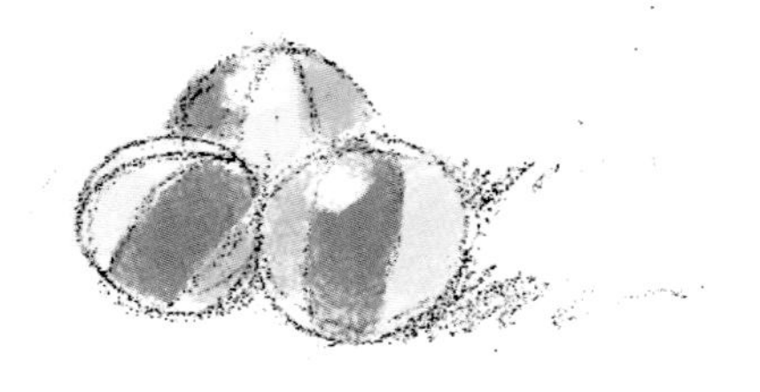

'Draíocht, a chailín bhig, draíocht. Nár chuala tú riamh faoi dhraíocht an tsorcais? Ó agus céard é sin atá ar chúl do chinn agat?'

Shín sé lámh ina treo arís agus d'aimsigh liathróid bheag ghorm taobh thiar dá cluas! Faoin am seo bhí Deirdre sna trithí gáire. Chaoch an Fear Grinn súil uirthi. Ag breathnú suas a mhuinchille a bhí sé anois. 'Ar ndóigh, ní féidir tada a dhéanamh le péire. Ach dá mbeadh an tríú ceann agam...'

Níor luaithe ráite ná déanta é. 'Ó!' ar seisean go sceitimíneach, 'Céard seo?'

Amach leis an tríú liathróid agus í chomh dearg le barr na sróine air!

Thosaigh Deirdre ag bualadh bos. Bhí cuma an-sásta ar an bhFear Grinn. 'Go raibh maith agat, a Dheirdre,' ar seisean, 'agus anois...'

Suas leis de léim ina sheasamh agus thosaigh sé ag lámhchleasaíocht leis na liathróidí beaga. De réir a chéile mhéadaigh sé ar a luas go dtí gur ar éigean a bhí sí in ann na liathróidí a aithint óna chéile.

Go tobann léim an cailín beag suas agus thosaigh sí ag rith i dtreo an bhaile. 'Hé!' arsa an fear grinn, 'céard atá ort, a Dheirdre? Tar ar ais.' 'Fan ansin!' ar sise, 'ní bheidh mé i bhfad.'

Agus gan focal eile d'imigh sí as radharc. Bhí díomá ar an bhFear Grinn bocht arís.

Shuigh sé fós eile ar an mbinse agus é ag ceapadh go mb'fhéidir nach bhfeicfeadh sé an cailín beag arís. Ach nach air a bhí an dul amú! Taobh istigh de dhá nóiméad chonaic sé ag teacht arís í. Bhí scata beag dá cairde léi agus iad ag cogarnaíl agus ag gáire os íseal.

'Anois an gcreideann sibh mé?' ar sise go bródúil leo nuair a tháinig siad chomh fada leis.

'Seo iad mo chairde,' ar sise i nglór a bhí beagáinín cúthail dar leis. 'Tháinig siad chun tú a fheiceáil. An dtuigeann tú?'

'Ómhuise, tuigim go maith thú, a Dheirdre,' ar seisean agus ríméad air. 'Bhuel, bhuel, bhuel. Tá fáilte romhaibh, a pháistí. Fáilte romhaibh, go deimhin agus míle fáilte. Ach suígí anois ar an bhféar go bhfeice mé céard atá anseo faoi mo hata agam.'

Shuigh siad ar an toirt agus a súile sáite ann.

Sheas Cócó nóiméad gan cor as agus ansin bhain sé de a hata. Bhí séideán cóisire istigh ann. Isteach leis ina bhéal aige agus siúd ansin thart é ar fud na háite leis an ngeáitsíocht ba ghreannmhaire dá bhfaca tú riamh. Tuilleadh lámhchleasaíochta ansin aige, ceirteacha ildaite den uile chineál á dtarraingt as a phócaí agus ceol áiféiseach ríméadach ón orgán béil i rith an ama. Bhí gliondar orthu uile ag féachaint air. Ach ansin ar ball smaoinigh sé air féin agus stop sé go tobann.

'A Dhia! Tá brón orm ach caithfidh mé a bheith ag imeacht.' 'Á! Ná himigh,' arsa Deirdre.

'Gabh mo leithscéal, a stór,' ar seisean, 'ach tá seó agam ar a hocht, an ceann deireanach ar fad b'fhéidir. Ach tá súil agam sibh a fheiceáil arís am éigin.' Agus d'imigh sé.

Ar a ceathrú chun a hocht sheas Máistir an tSorcais ag geata na páirce. Bhí Cócó lena thaobh ach ní raibh duine ná deoraí le feiceáil. 'Sin sin is dócha,' arsa an Máistir go gruama agus lig osna.

Chas sé go brónach chun dul ar ais go dtí an chuid eile leis an drochscéal. Bhí an puball beagnach sroichte aige nuair a chuala sé Cócó ag glaoch ar ais air. 'Fan! Fan nóiméad! Tá rud éigin ag tarlú.'

Amach leis arís chomh fada leis an ngeata. 'Breathnaigh, breathnaigh,' arsa Cócó.

D'fhéach Máistir an tSorcais i dtreo an bhaile. Bhí slua mór ag teacht timpeall an choirnéil agus iad ag siúl go sceitimíneach ina dtreo.

'Meas tú...?' a deir an Máistir. Ach bhí Cócó ag féachaint ar Dheirdre, a chara beag, agus í ag sodar go péacach ag ceann an tslua. 'Measaim é!' ar seisean.

Bhí an puball lán go doras an oíche sin agus ba léir ón mbualadh bos agus ó na gártha molta go léir go raibh an lucht féachana ag baint lán-taitnimh as an seó. Bhí a fhios ag gach duine den chompántas go raibh rud éigin speisialta ag tarlú cé nár thuig siad i gceart céard é féin. B'fhada ó bhain Cócó a oiread spraoi as seó agus a bhain sé an oíche sin.

Ach go luath – ró-luath – bhí sé thart. De réir a chéile thosaigh an slua ag fágáil agus 'Míle buíochas!' agus 'Tagaigí arís go luath!' i mbéal gach duine acu. Sheas Cócó agus an Máistir le taobh an bhosca ticéad ag féachaint orthu.

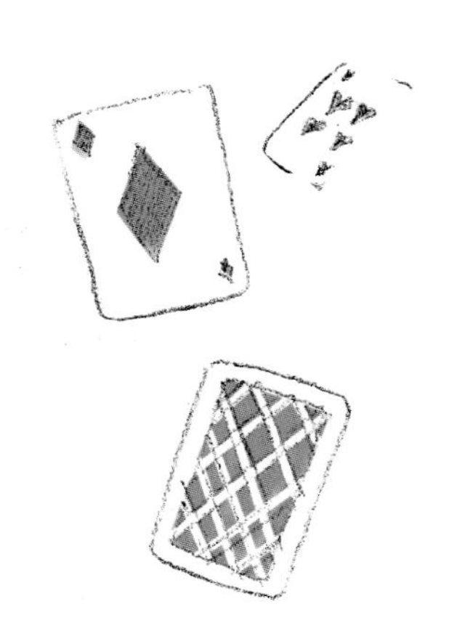

'Níl a fhios agam céard a tharla anocht nó cé as ar tháinig an slua ollmhór sin,' arsa an máistir le Cócó. Ach bhí seisean ag faire ar Dheirdre, a bhí díreach tar éis teacht amach as an bpuball lena hathair. Nuair a chonaic sí Cócó rith sí anonn chuige.

‘Tuigeann siad anois, a Chócó,’ ar sise, ‘tuigeann siad.’ ‘Céard a thuigeann siad?’ arsa Cócó agus sórt iontais air.

‘Tá a fhios agat,’ ar sise, ‘an rud sin a dúirt tú liom inniu. D’inis mé do gach duine mar gheall ar dhraíocht an tsorcais agus féach céard a tharla!’

‘Cé hí an cailín seo?’ arsa Máistir an tSorcais, ‘agus céard atá á rá aici?’ ‘Seo í Deirdre,’ ar seisean, ‘is cara liom í.’

‘Sea,’ arsa Deirdre, ‘agus tá a fhios agamsa rud éigin speisialta faoi Chócó.’

‘An bhfuil?’ arsa an Máistir. ‘Inseoidh mé duit,’ ar sise. Chrom seisean a cheann beagán agus chuir sí cogar ina chluas. As go brách léi ansin chomh fada lena Daid.

'Céard a dúirt sí?' arsa Cócó. Thosaigh an Máistir ag gáire. 'Ní chreidfidh tú é seo,' ar seisean, 'ach dúirt sí go gcaoineann tusa deora draíochta.'

Críoch

Deora Draíochta
Le Colmán Ó Raghallaigh

ISBN 978-1-899922-83-3

Foilsithe ag Cló Mhaigh Eo,
Clár Chlainne Mhuiris,
Co. Mhaigh Eo, Éire.
www.leabhar.com
Fón/Faics: 094-9371744 / 086-8859407

Dearadh: raydesign, Gaillimh. raydes@iol.ie
Clóbhuáilte in Éirinn ag Clódóirí Lurgan,
Indreabhán, Co. na Gaillimhe

Aithníonn Cló Mhaigh Eo cabhair
Fhoras na Gaeilge i bhfoilsiú an leabhair seo

Foras na Gaeilge

Rilla
Takes Charge

Andy Whitson

Cáit Nic Sheáin

Monday...

SOLD

…was the day mum lost her ring and Rilla took charge.

'Follow me Bobo! Mum has told me to keep an eye on you until she finds her ring.'

There was nothing Rilla loved more than being in charge.

'Don't worry about a thing Bobo. Just leave everything to me because I'm in charge...'

But Bobo wasn't listening. A robber bird was making off with mum's ring before his very eyes!

'...with me in charge Bobo, you'll be safe and sound because I always know what to do.'

But Bobo wasn't listening. He was off up the tree after his mum's ring.

Rilla followed him but Bobo had climbed out of sight. Rilla froze with fear.

He had lost Bobo and had no idea what to do!
How could he go back to Mum without Bobo?

Suddenly strange shapes began to press in all around Rilla.

Rilla saw big teeth and glowing eyes. He saw sharp claws and spiky horns.

Big, mad, cavorting beasties! Rilla was trembling. Bobo, his baby brother was in danger and mum had left Rilla in charge!

He would have to be strong.
Rilla remembered the thing he loved best!

'That's enough! I'm the one in charge here!' shouted Rilla. The beasties were flabbergasted.

'But you're so small. Why would we listen to you?' they asked.
'Because I always know exactly what to do,' said Rilla.

The beasties smiled with delight.
'What a relief! We've been waiting a long time for someone to take charge and tell us what to do.'

'Then follow me!' exclaimed Rilla.
'Let's bring Bobo back safe and sound to mummy.'

Up they all went after Bobo.

Suddenly they saw the robber bird fly out of the tree with the ring in its claws and Bobo holding on to the ring for dear life.

But the robber bird wouldn't let Bobo have it.

'Let go of my baby brother, you cheeky robber bird!' roared Rilla.

Rilla startled the bird so much it let go of the ring and flew away like the wind.

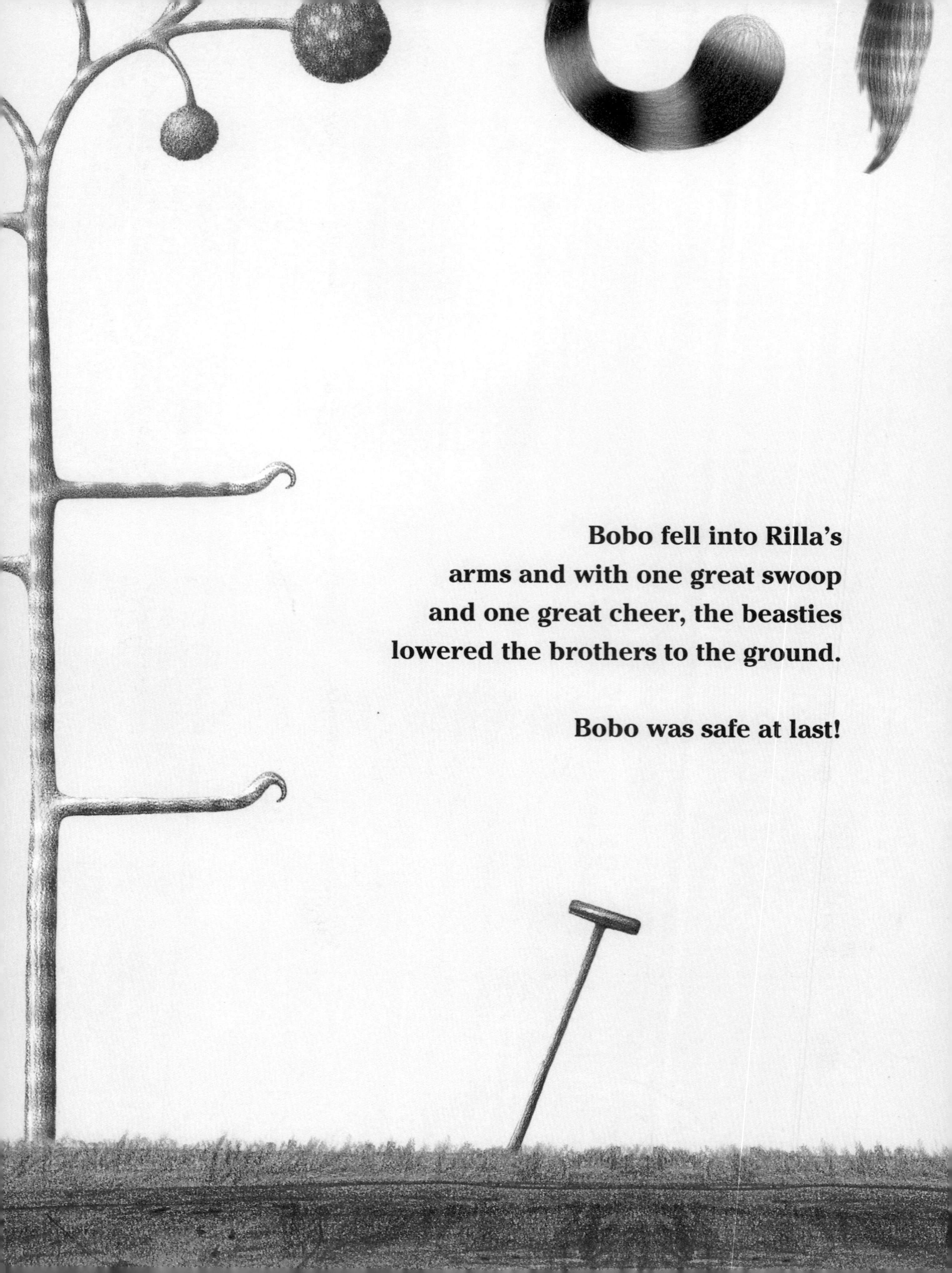

Bobo fell into Rilla's arms and with one great swoop and one great cheer, the beasties lowered the brothers to the ground.

Bobo was safe at last!

'Follow me Bobo! Mum will be really happy to have her ring back again.'

'Don't worry about saying anything. Just leave all the talking stuff to me because I'm the one in charge.'

But Bobo wasn't listening.

Another cheeky thief of a bird was stealing Rilla's watch from right under Bobo's nose.

'WAIT! I'm in charge and I know exactly what to do!'

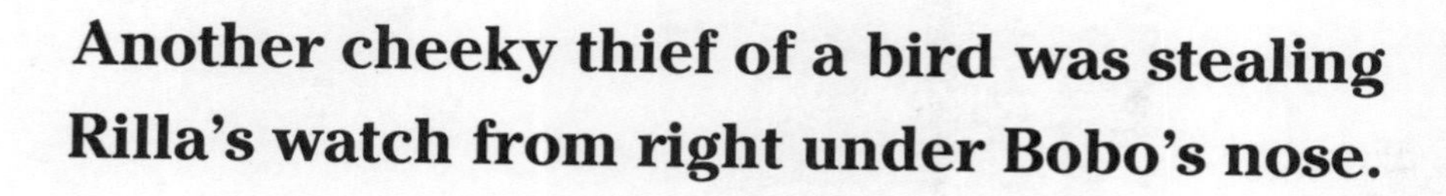